My Book of

Shapes

Mi Libro de las Formas

Reprinted in 2014
Nashville, Tennessee

Curriculum Director
Janet D. Sweet

Art Director
Travis Rader

Production Manager
Powell Ropp

The publisher would also like to thank the original creators of this book:

Editorial Team
Mary Cummings • Judy Jackson
Barbara J. Reed

Art and Design Team
Steve Newman • Starletta Polster
Matt Carrington

ISBN 978-0-87197-583-6

Printed by RR Donnelley,
Shenzhen, Guangdong, China

Contents / Índice

SkWids.com

The Ones That **Start** Ahead...**Stay** Ahead!

- SkWids video lessons, games, and quizzes provide the essential skills needed for success in school.
- SkWids tracks progress and tells you what your child knows and what they should focus on next.
- SkWids teaches important life lessons too, for emotionally well-rounded kids.
- SkWids makes learning fun so kids stay engaged in the process at school and at home.

Download the **SkWids App!** Kids can watch favorite episodes wherever they want, whenever they want!

Note to parents
Nota para los padres

Congratulations on choosing the *My Book* series for nurturing your child's vocabulary development! Learning to read is an exciting time for you and your child, and vocabulary development is an essential first step in early reading success.

Southwestern Advantage understands that young children are naturally drawn to images, words, and ideas that are all about their world. The *My Book of Shapes* features bright-colored art and vibrant illustrations to encourage your child to explore the familiar, high-interest words and concepts used in everyday life.

Your child will also enjoy the lovable SkWids characters from Southwestern Advantage's early learning website, www.skwids.com, as they introduce each category of vocabulary words. Learn more about Kangaroo, Monkey, Giraffe, and the other SkWids characters as they weave the concepts from the *My Books* series—and other Advantage book series—into fun early-learning videos, games, songs, and more!

We are committed to helping our youngest learners develop early reading success and a zest for learning. So turn the page and enjoy an important step in learning to read!

Janet D. Sweet
Curriculum Director

Felicidades en escoger la serie de libros *My Book* para estimular el desarrollo del vocabulario de su hijo. El aprender a leer es una etapa excitante para usted y su niño. El desarrollo del vocabulario es el primer paso esencial para el éxito temprano en la lectura.

El Southwestern Advantage entiende que los niños son atraídos de una forma natural a imagines, ideas y palabras acerca de su mundo. El libro *My Book of Shapes* ofrece arte con colores brillantes e ilustraciones para estimular a su niño a explorar palabras familiares de alto interés y conceptos del diario vivir.

Su niño va a disfrutar de los personajes adorables SkWids del website de Southwestern Advantage, www.skwids.com cuando le introducen el vocabulario en cada categoría. Aprenda sobre los personajes Kangaroo, Monkey, Giraffe y otros caracteres en el SkWids cuando les presenten los diferentes conceptos en la serie de libros *My Books* y en otra serie de libros Advantage—ten videos divertidos de aprendizaje temprano, juegos, canciones y mas!

Estamos comprometidos a ayudar a nuestros niños pequeños para que tengan éxito temprano en la lectura y un deseo de aprender. Así que pase la pagina y empiece a disfrutar en este paso importante en el aprendizaje a leer.

Janet D. Sweet
Curriculum Director

Introducing shapes
Te presentamos las formas

Shapes are all around us. What shapes can you find in the big picture?

Las formas están en todas partes. ¿Qué formas puedes encontrar en el dibujo grande?

Ferris wheel
la noria

tent
la tienda de campaña

bench
el banco

Triangles
Triángulos

A triangle is a shape with three sides.

Un triángulo es una figura con tres lados.

caution sign
la señal de advertencia

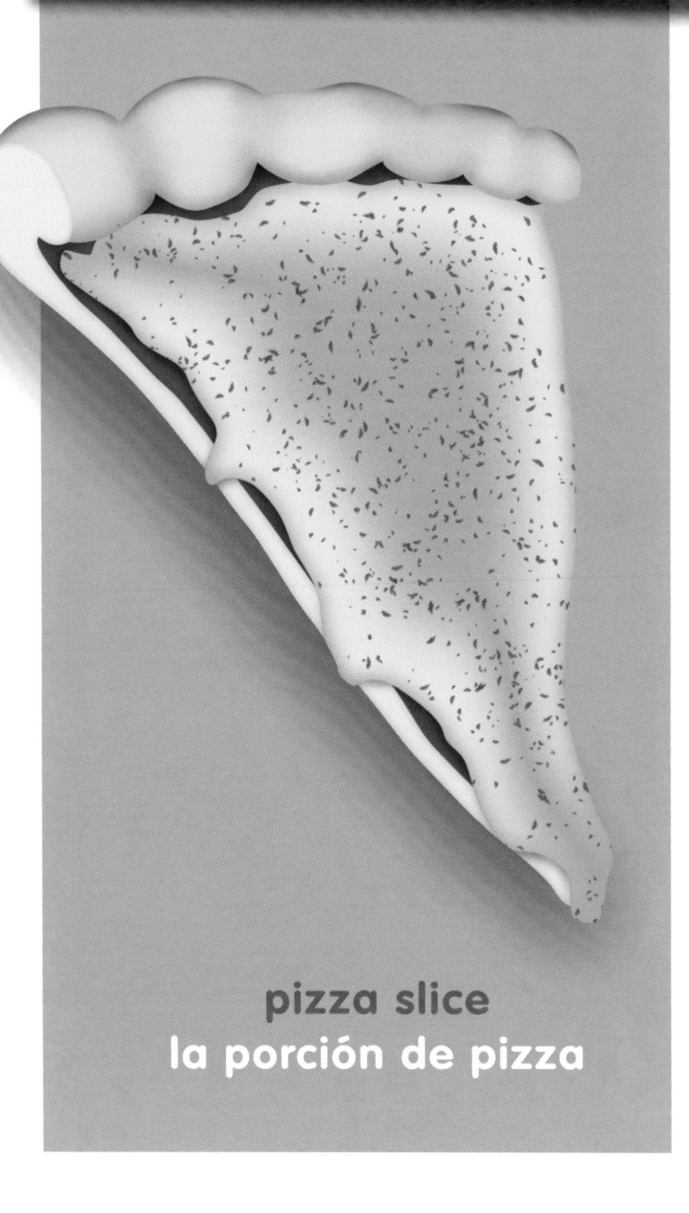

pizza slice
la porción de pizza

roof
el techo

pizza slice	caution sign	roof
la porción de pizza	la señal de advertencia	el techo

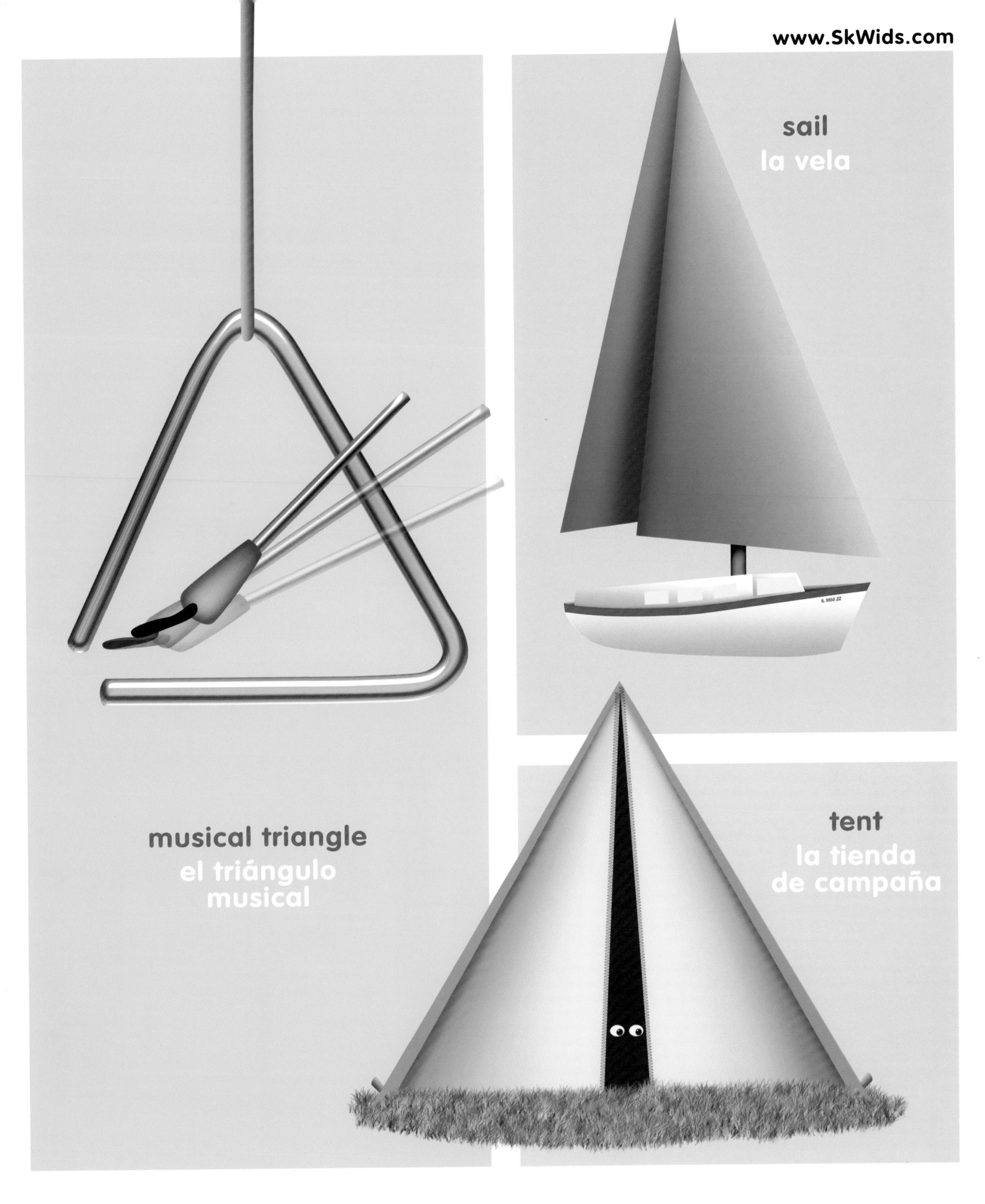

musical triangle
el triángulo musical

sail
la vela

tent
la tienda de campaña

Squares
Cuadrados

A square is a shape with four equal sides.

Un cuadrado es una figura con cuatro lados iguales.

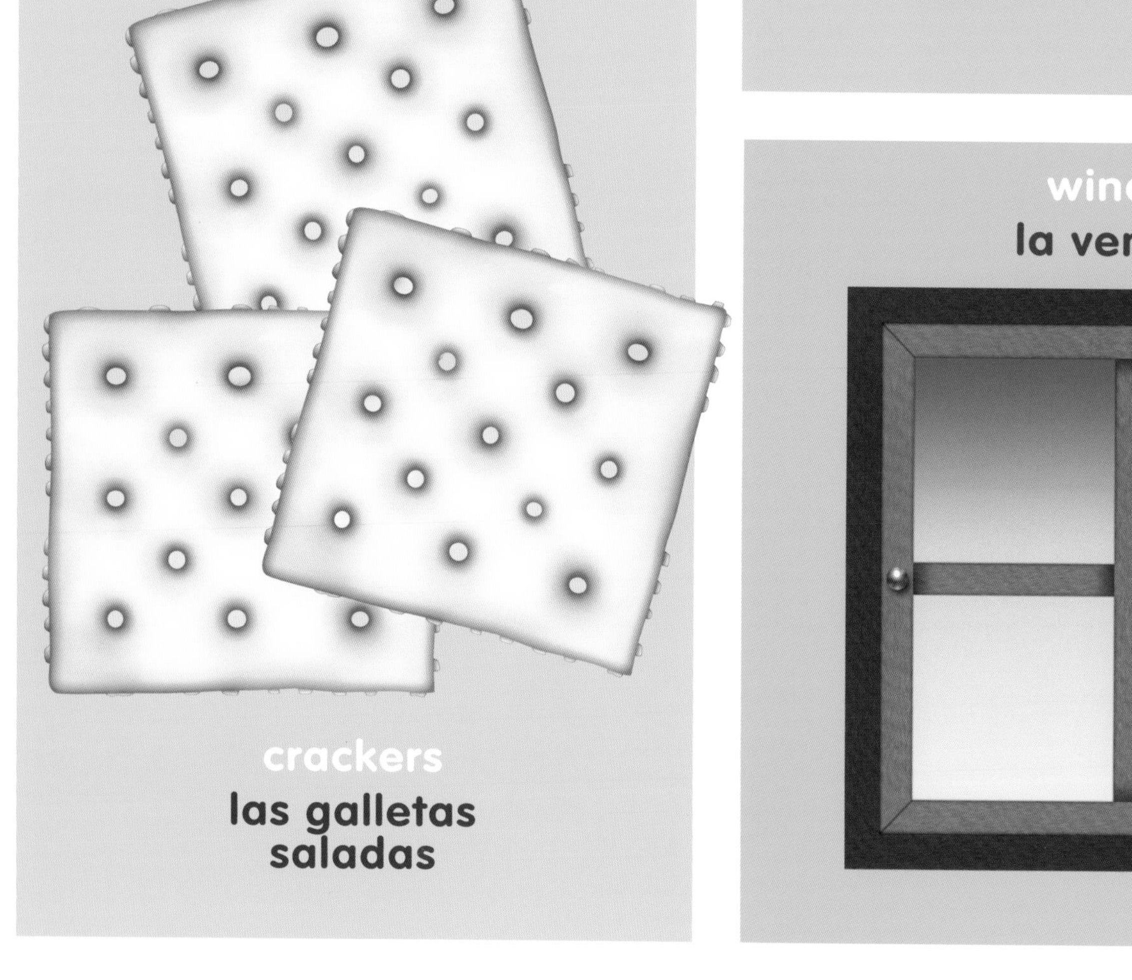

crackers
las galletas saladas

pillow
el almohadón

window
la ventana

bandana
el pañuelo

pizza box
la caja de pizza

picture frame
el marco

cheese
el queso

bandana
el pañuelo

pizza box
la caja de pizza

picture frame
el marco

cheese
el queso

Rectangles
Rectángulos

A rectangle is a shape with four sides. The opposite sides are equal length.

Un rectángulo es una figura con cuatro lados. Los lados opuestos son del mismo tamaño.

brick
el ladrillo

bench
el banco

calendar
el calendario

February — Febrero

sun	mon	tue	wed	thu	fri	sat
					1	2
3	4	5	6	7	8	9
10	11	12	13	14	15	16
17	18	19	20	21	22	23
24	25	26	27	28		

pool
la piscina

bench	calendar	brick	pool
el banco	el calendario	el ladrillo	la piscina

truck
el camión

book
el libro

door
la puerta

dominoes
las piezas de dominó

truck	book	dominoes	door
el camión	el libro	las piezas de dominó	la puerta

Circles
Círculos

A circle is a curved shape. It has no sides.

Un círculo es una figura curva. No tiene lados.

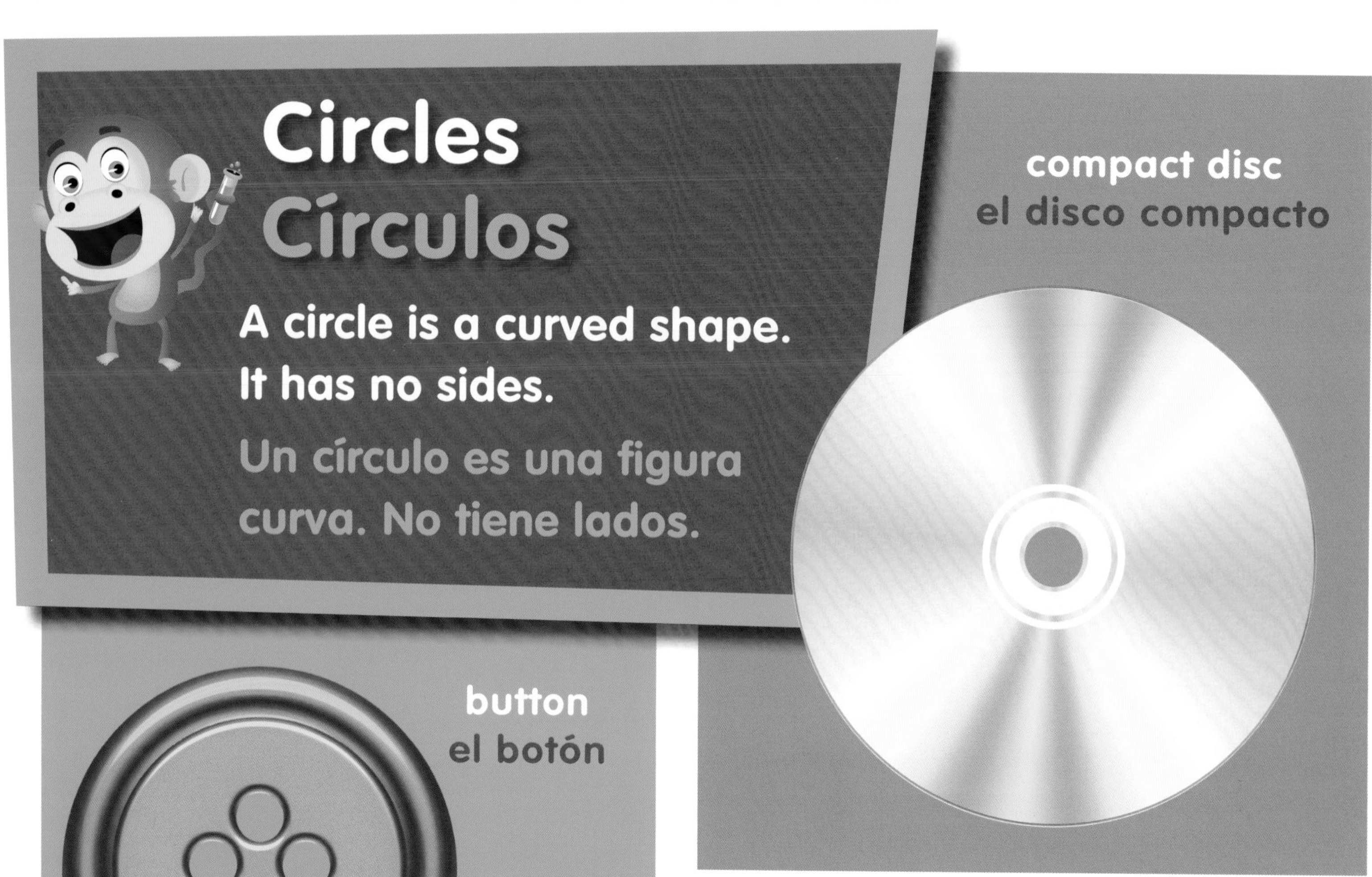

compact disc
el disco compacto

button
el botón

compass
la brújula

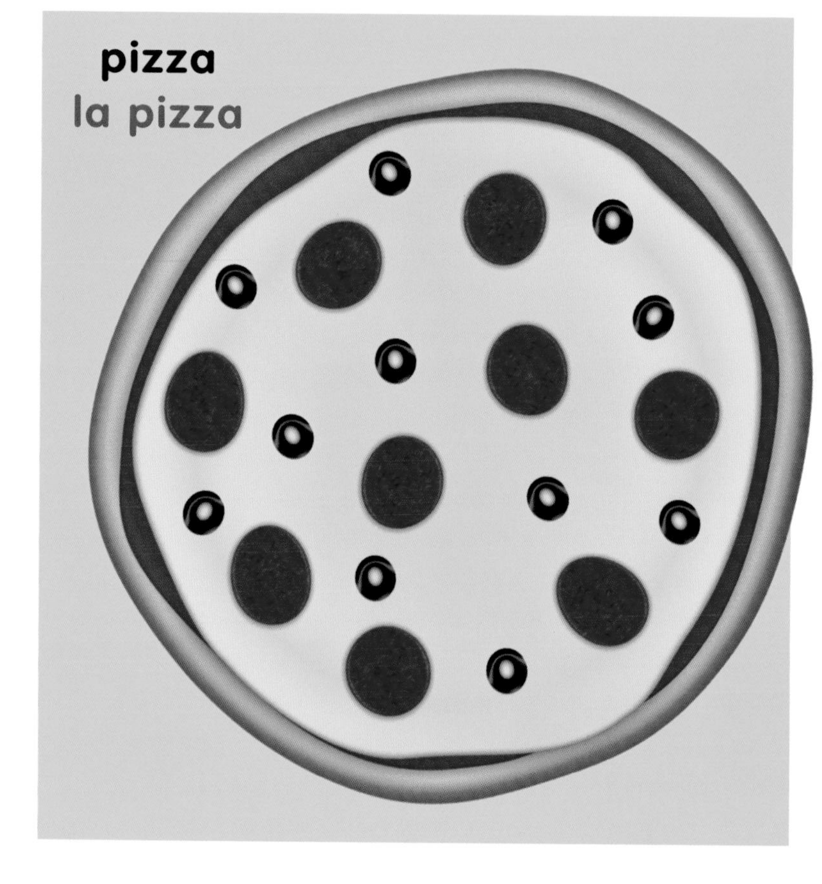

pizza
la pizza

button	compass	compact disc	pizza
el botón	la brújula	el disco compacto	la pizza

bracelets
las pulseras

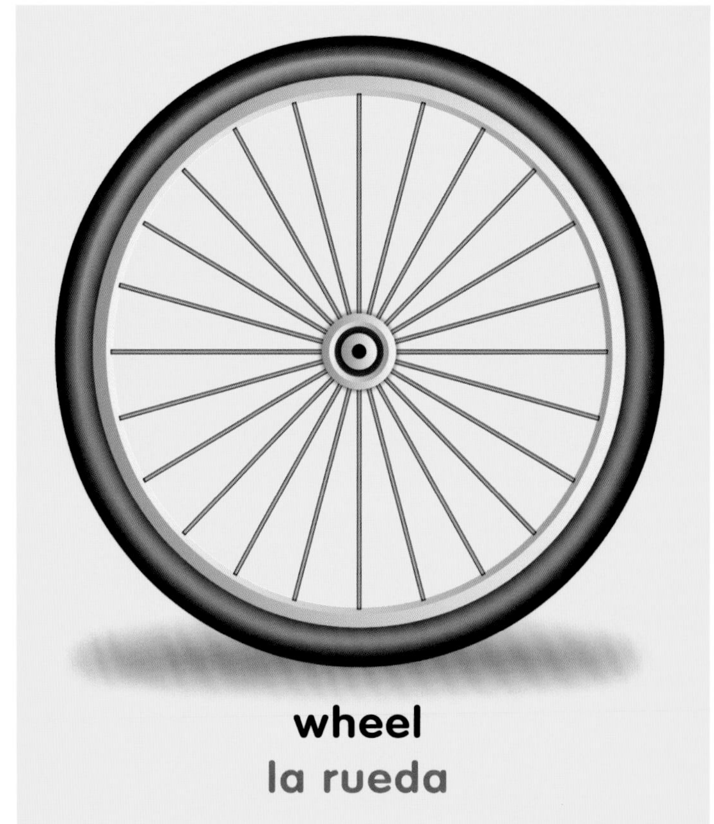

wheel
la rueda

letter O
la letra O

clock
el reloj

bracelets
las pulseras

wheel
la rueda

letter O
la letra O

clock
el reloj

Other shapes
Otras formas

The pictures on these pages show more kinds of shapes.

Los dibujos de estas páginas muestran más tipos de formas.

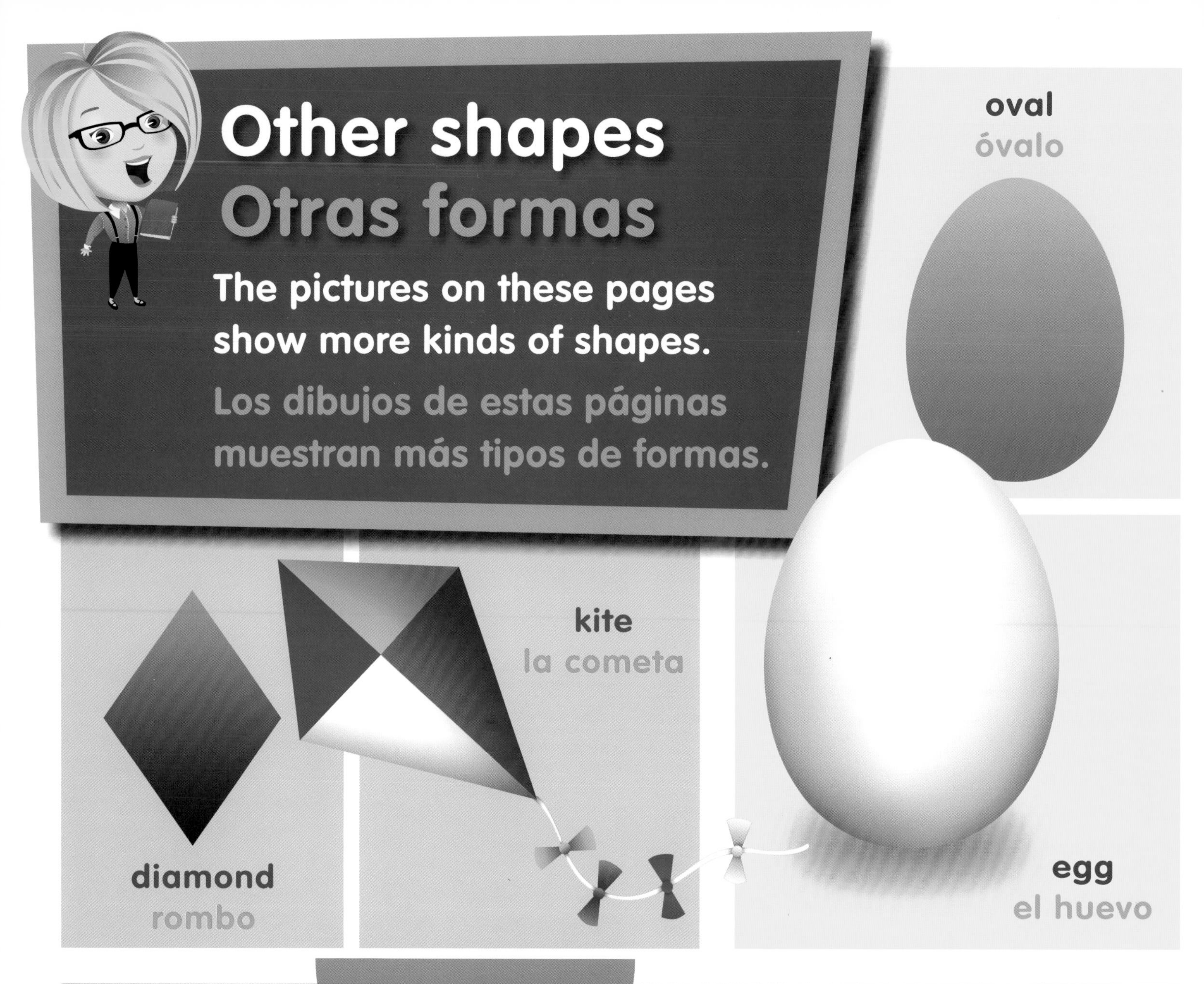

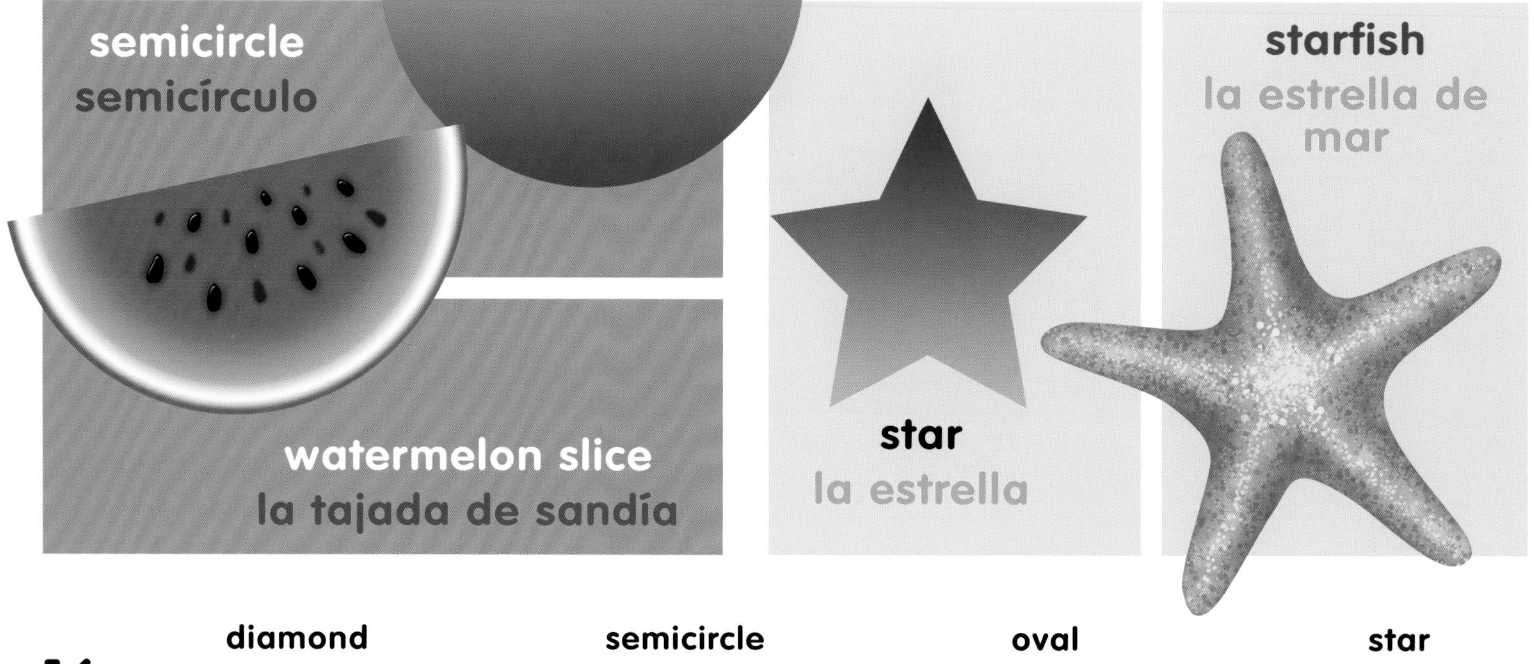

diamond rombo | **semicircle** semicírculo | **oval** óvalo | **star** la estrella

cone
cono

party hat
el sombrero de cumpleaños

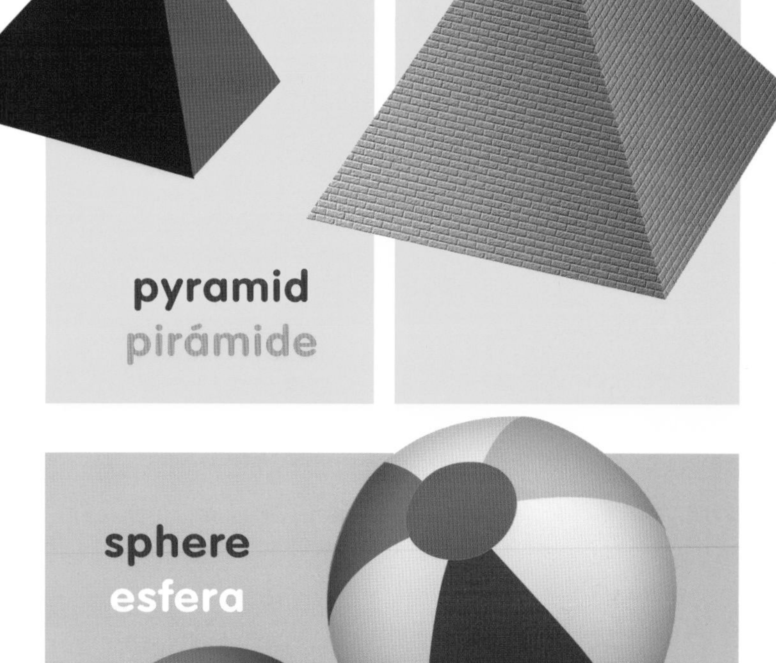

pyramid
pirámide

sphere
esfera

beach ball
la pelota de la playa

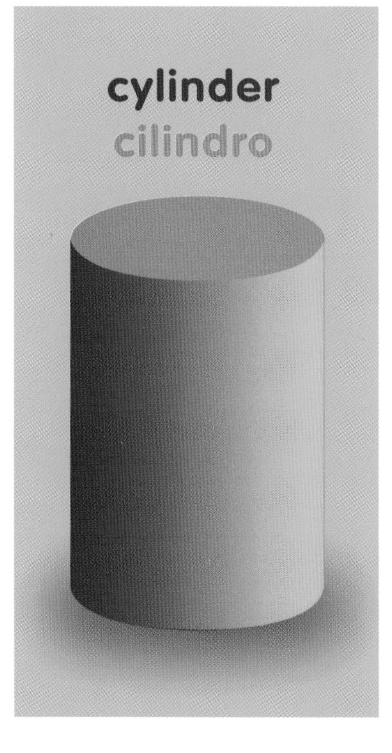

cylinder
cilindro

can
la lata

die
el dado

cube
cubo

cone	cylinder	pyramid	sphere	cube
cono	cilindro	pirámide	esfera	cubo

Moving day
El día de la mudanza

There are lots of shapes on moving day!

¡Se ven muchas formas el día de la mudanza!

wheel
la rueda

musical triangle
el triángulo musical

soccer ball
la pelota de fútbol

dartboard
el tablero de dardos

kite
la cometa
fish tank
la pecera
box
la caja

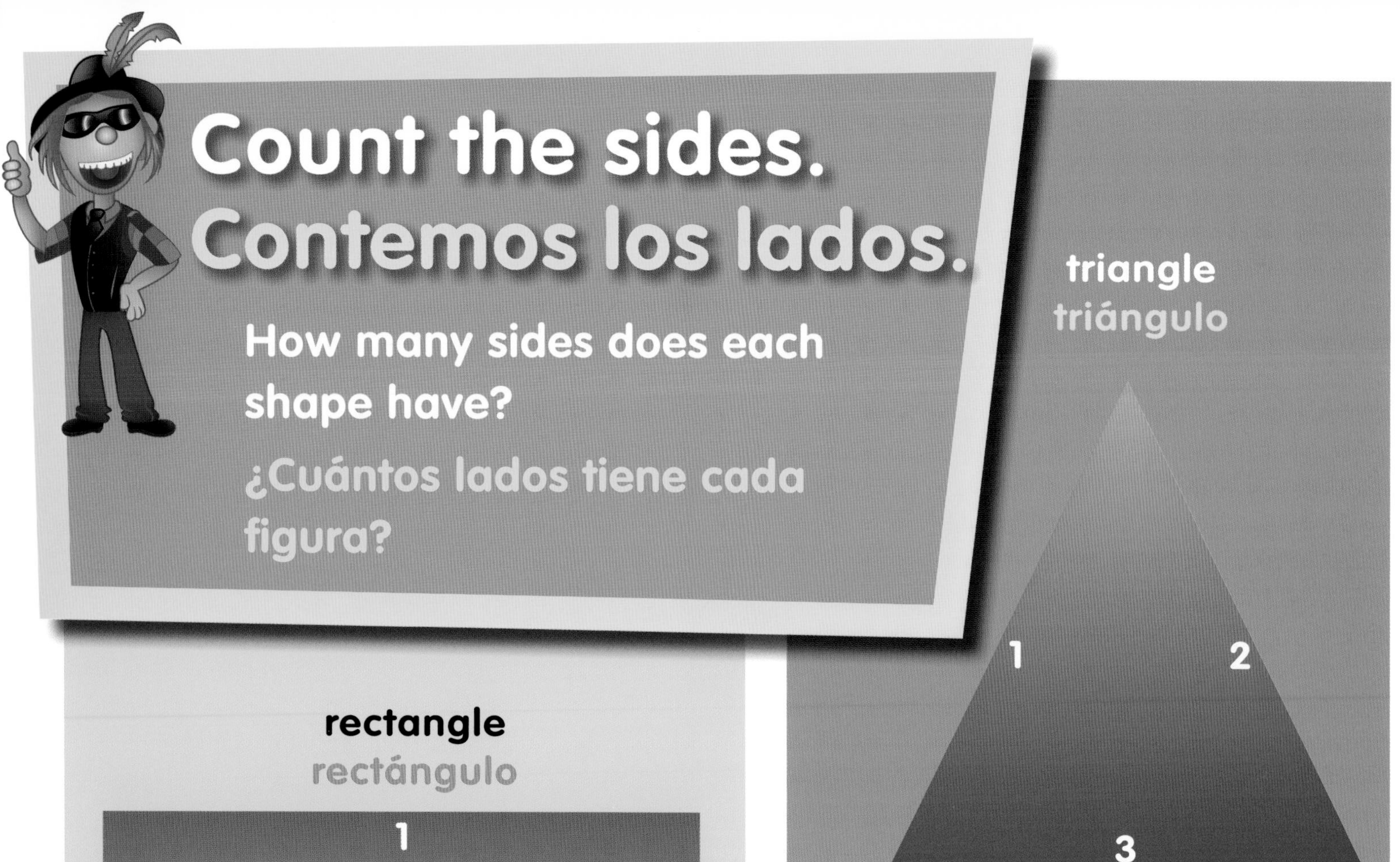

Count the sides.
Contemos los lados.

How many sides does each shape have?

¿Cuántos lados tiene cada figura?

triangle
triángulo

1 2 3

rectangle
rectángulo

trapezoid
trapecio

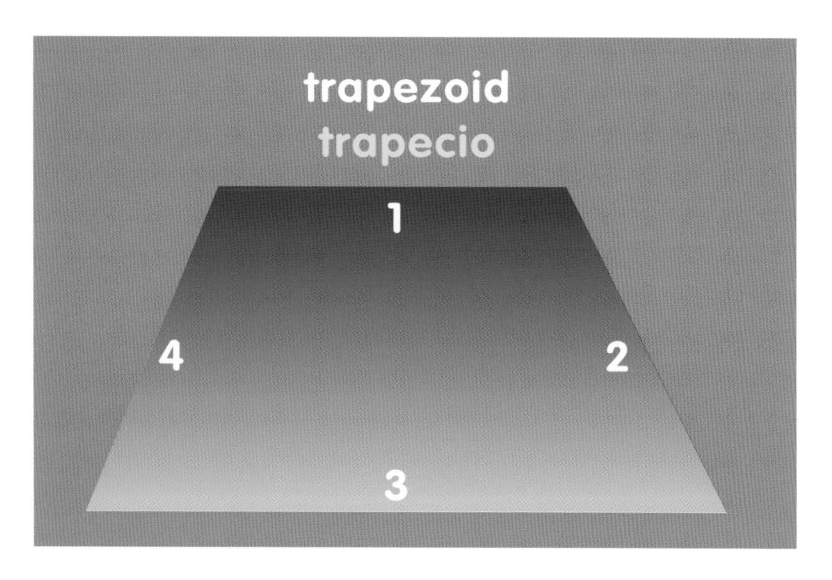

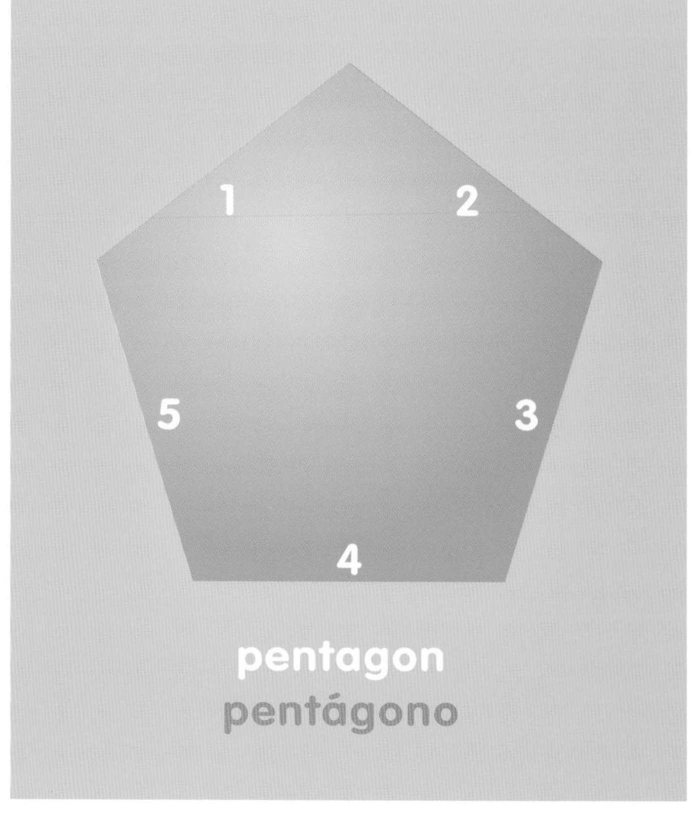

pentagon
pentágono

rectangle	trapezoid	triangle	pentagon
rectángulo	trapecio	triángulo	pentágono

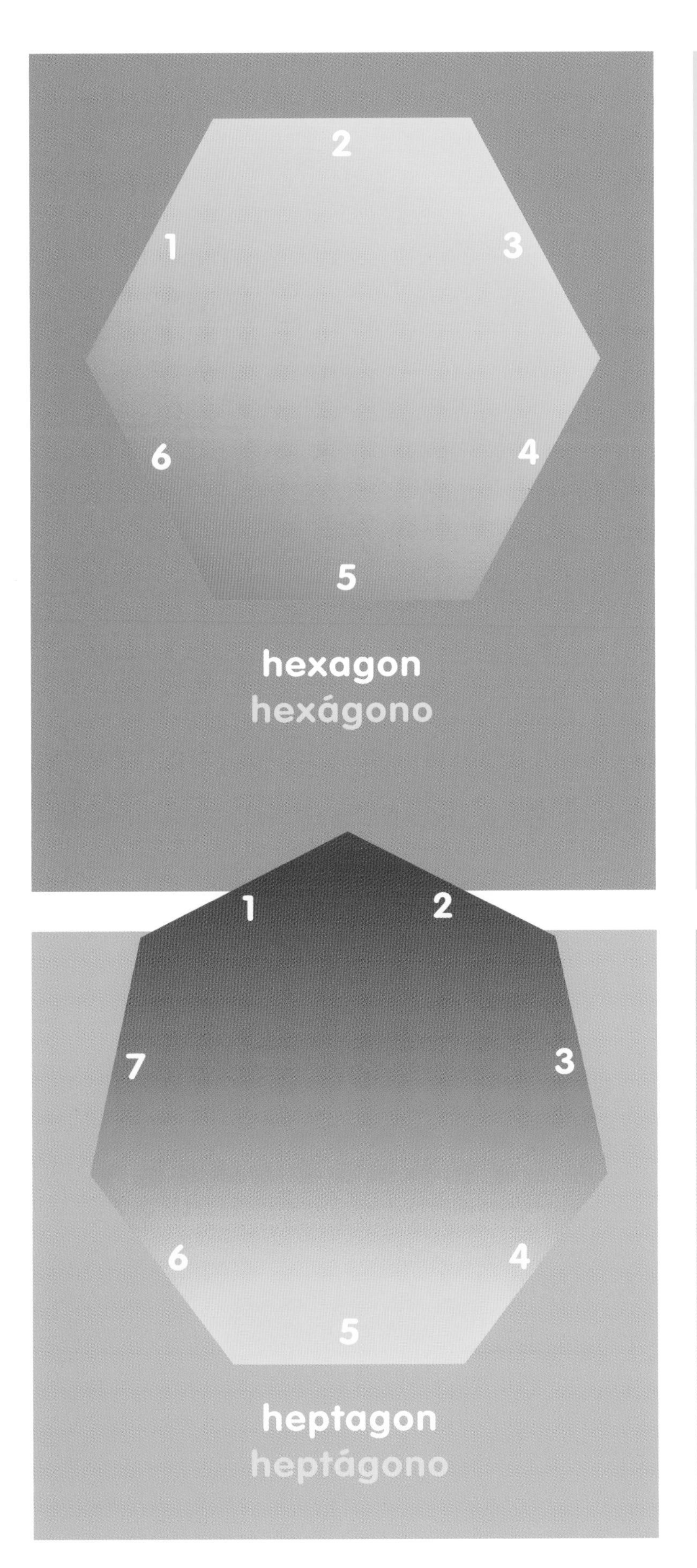

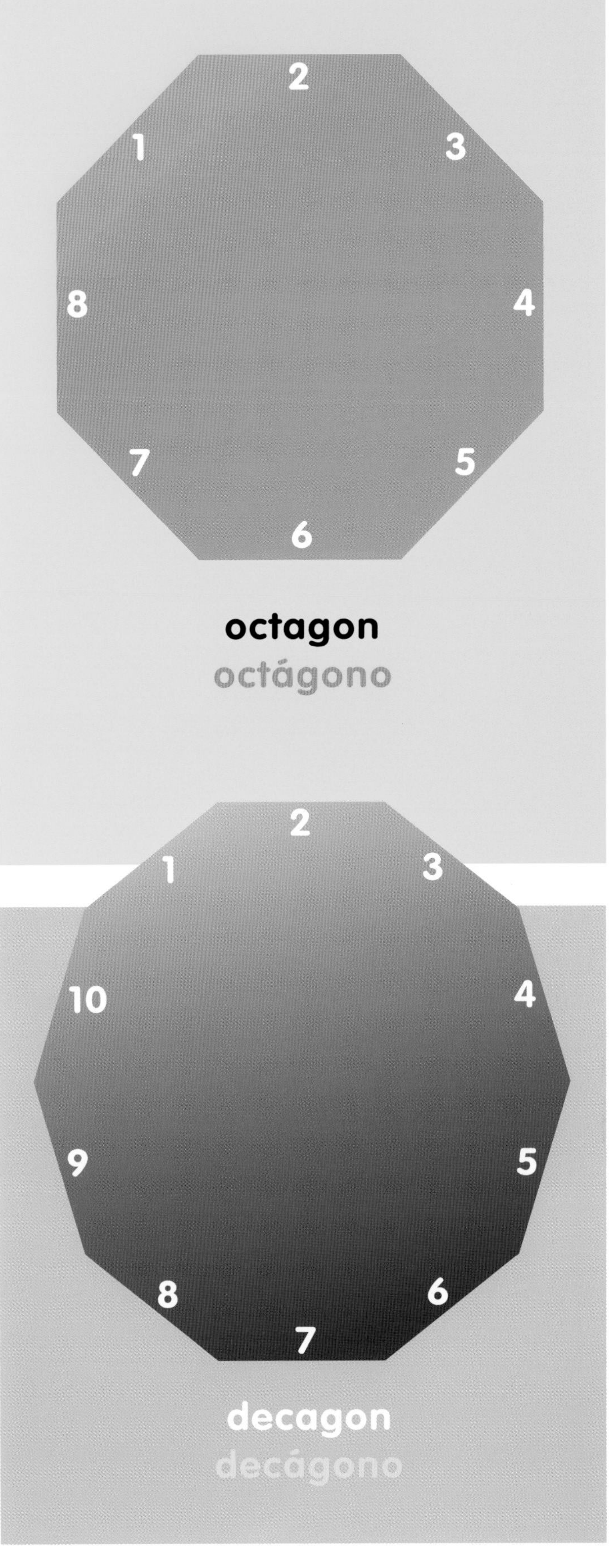

hexagon	heptagon	octagon	decagon
hexágono	heptágono	octágono	decágono

Count the shapes.
Contemos las formas.

Count the different shapes in each picture.

Cuenta las diferentes formas en cada dibujo.

checkerboard
el tablero de damas

Count the squares and circles.
Cuenta los cuadrados y los círculos.

paints
las pinturas

Count the ovals.
Cuenta los óvalos.

checkerboard
el tablero de damas

paints
las pinturas

kite
la cometa

Count the triangles.
Cuenta los triángulos.

sunflowers
los girasoles

Count the circles.
Cuenta los círculos.

houses	kite	sunflowers
las casas	la cometa	los girasoles

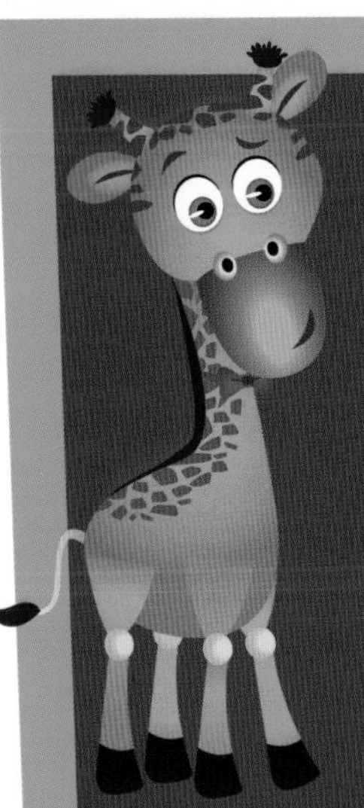

Shapes in the kitchen
Las formas en la cocina

What shapes can you find in a kitchen?

¿Qué formas puedes encontrar en una cocina?

napkin
la servilleta

baking pan
el molde para hornear

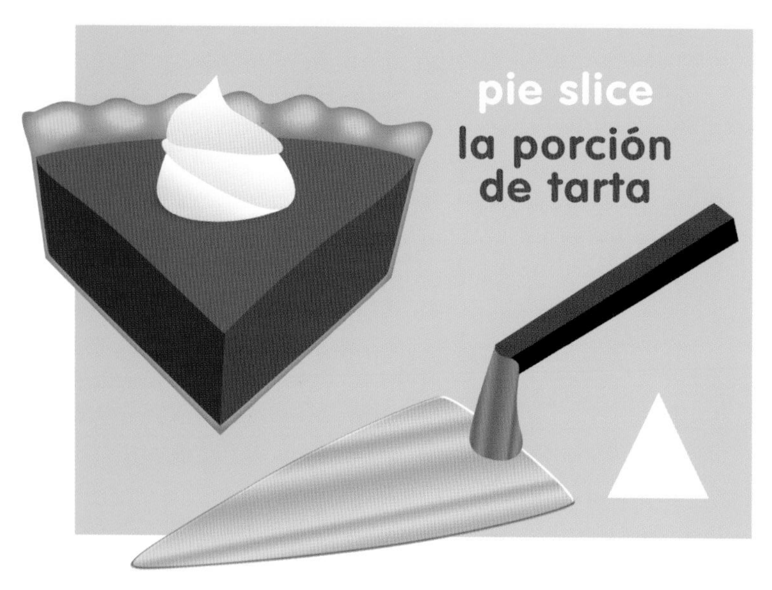

pie slice
la porción de tarta

plate
el plato

napkin	pie slice	baking pan	plate
la servilleta	la porción de tarta	el molde para hornear	el plato

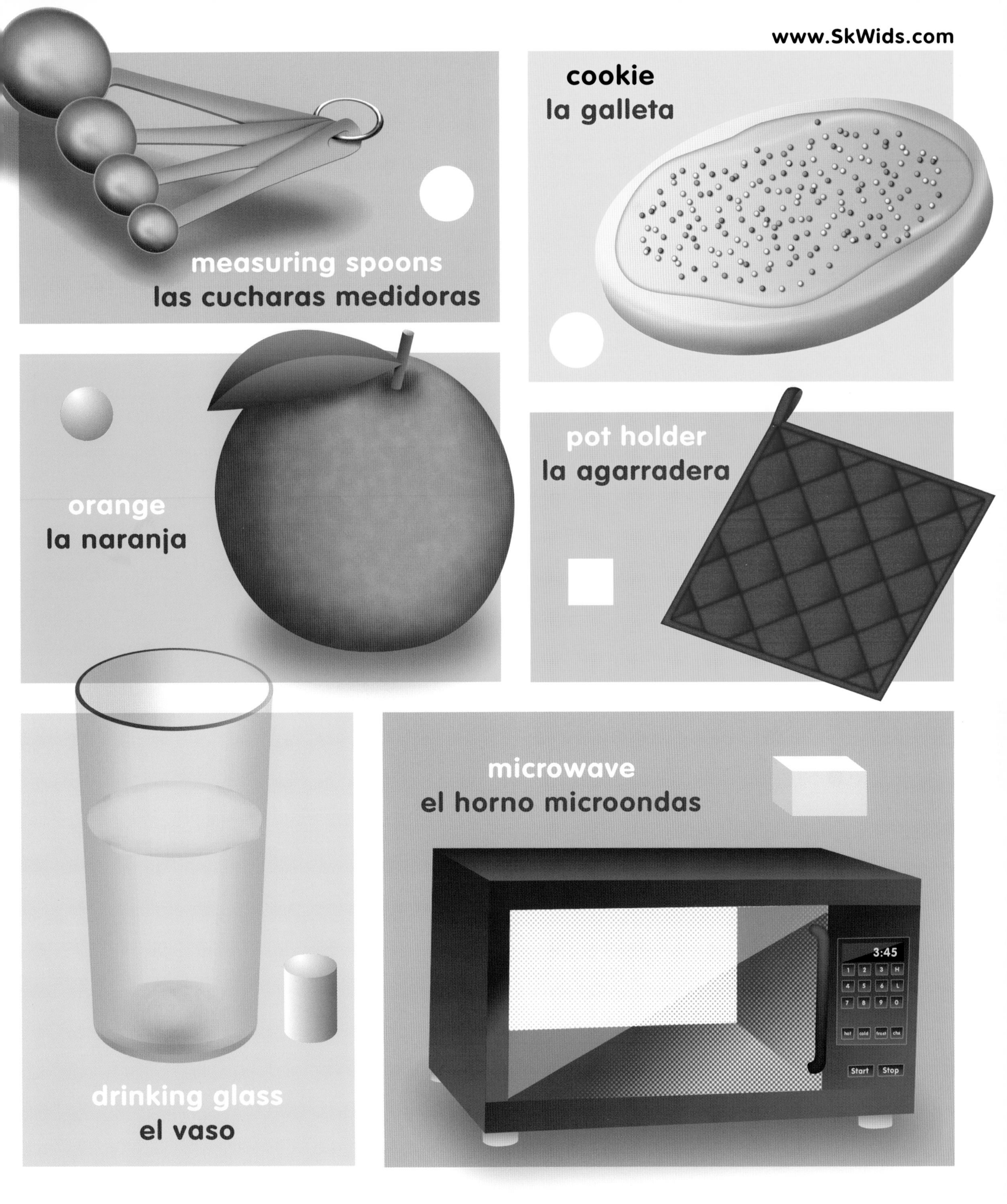

measuring spoons	orange	drinking glass	cookie	pot holder	microwave
las cucharas medidoras	la naranja	el vaso	la galleta	la agarradera	el horno microondas

Shapes in nature
Las formas en la naturaleza

What shapes can you see in nature?

¿Qué formas puedes ver en la naturaleza?

mountain	full moon	starfruit	rocks
la montaña	la luna llena	la carambola	las rocas

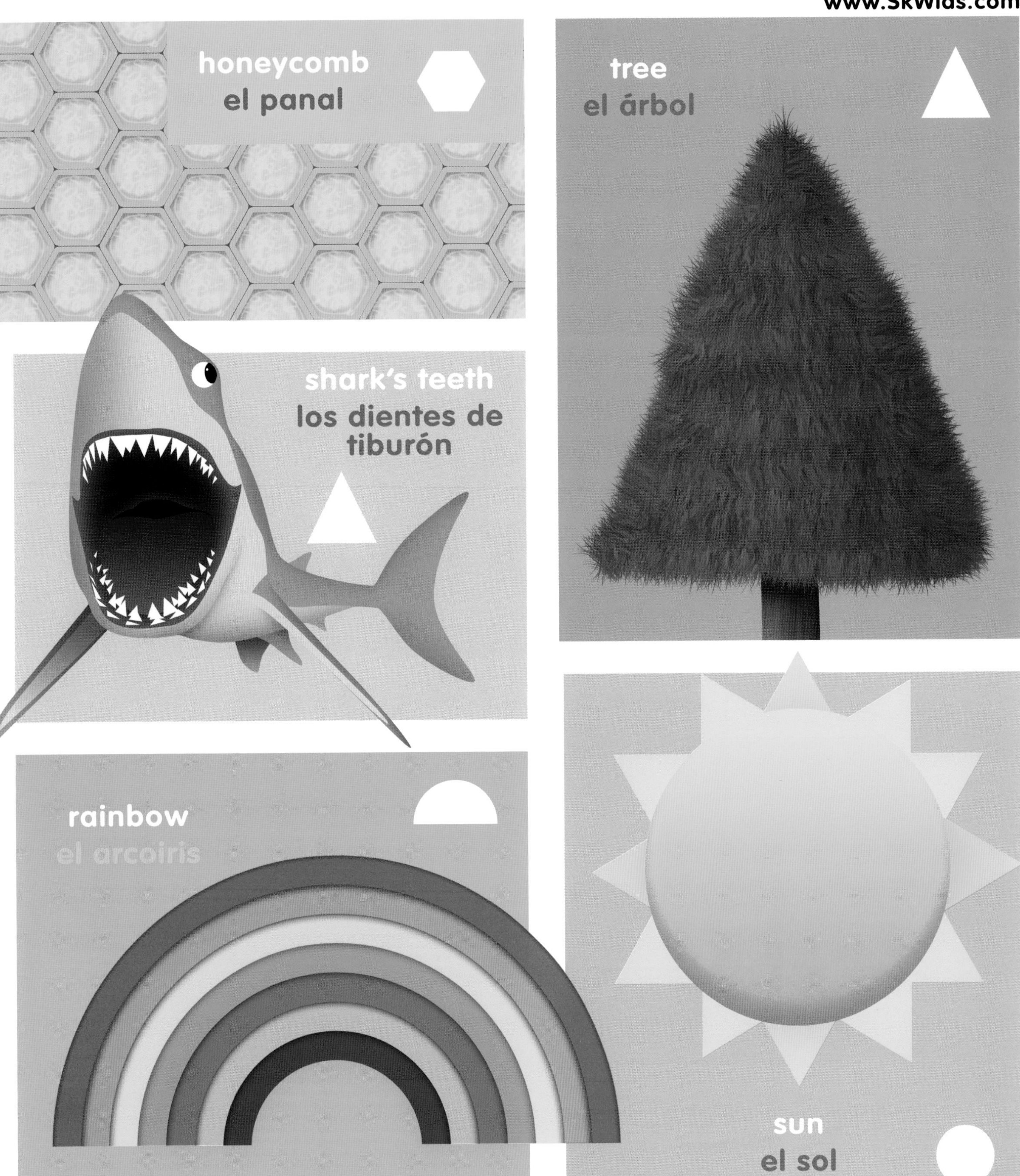

honeycomb
el panal

tree
el árbol

shark's teeth
los dientes de tiburón

rainbow
el arcoiris

sun
el sol

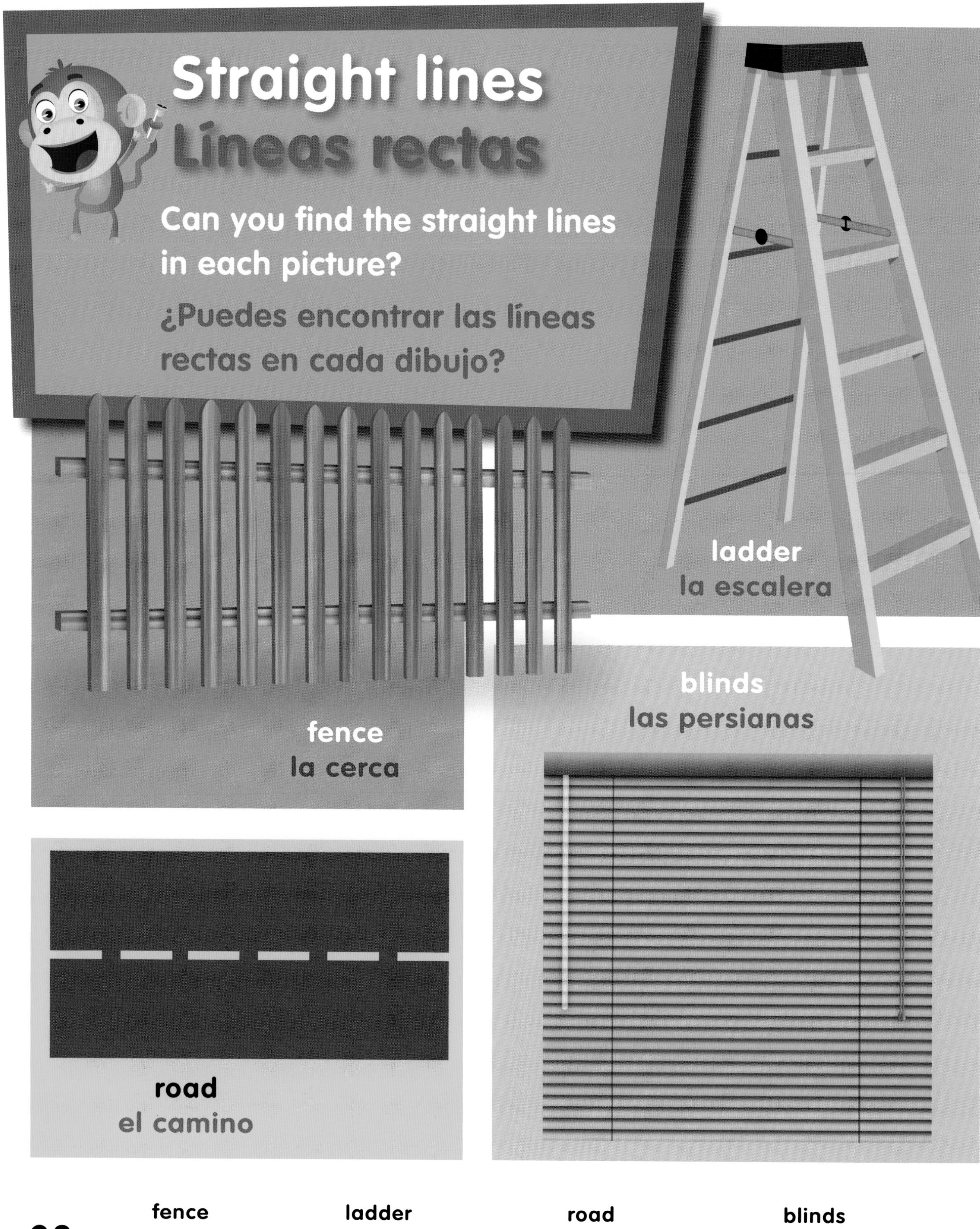

fence	**ladder**	**road**	**blinds**
la cerca	la escalera	el camino	las persianas

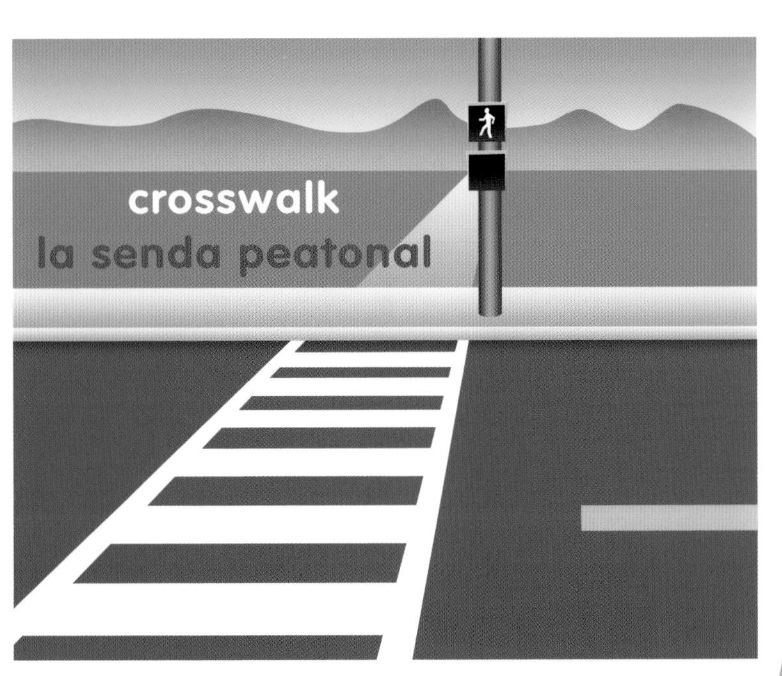

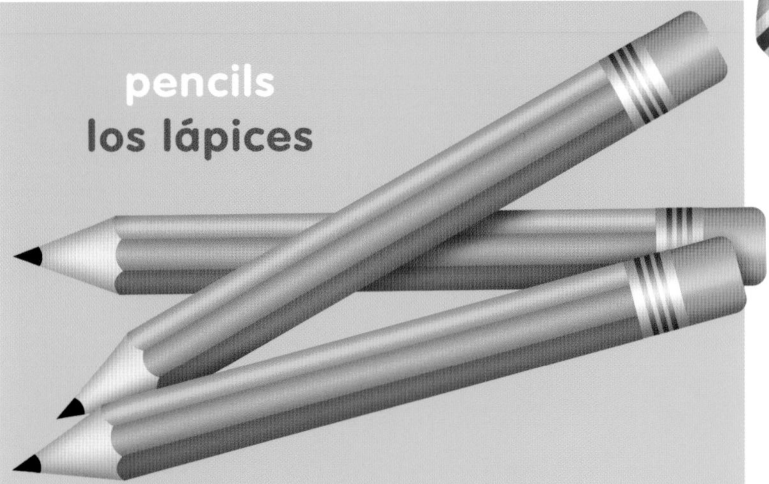

crosswalk	knife	pencils	t-shirt	letter I	railroad tracks
la senda peatonal	el cuchillo	los lápices	la camiseta	la letra I	las vías del ferrocarril

letter D la letra D | **mug** el tarro | **spoon** la cuchara | **egg** el huevo

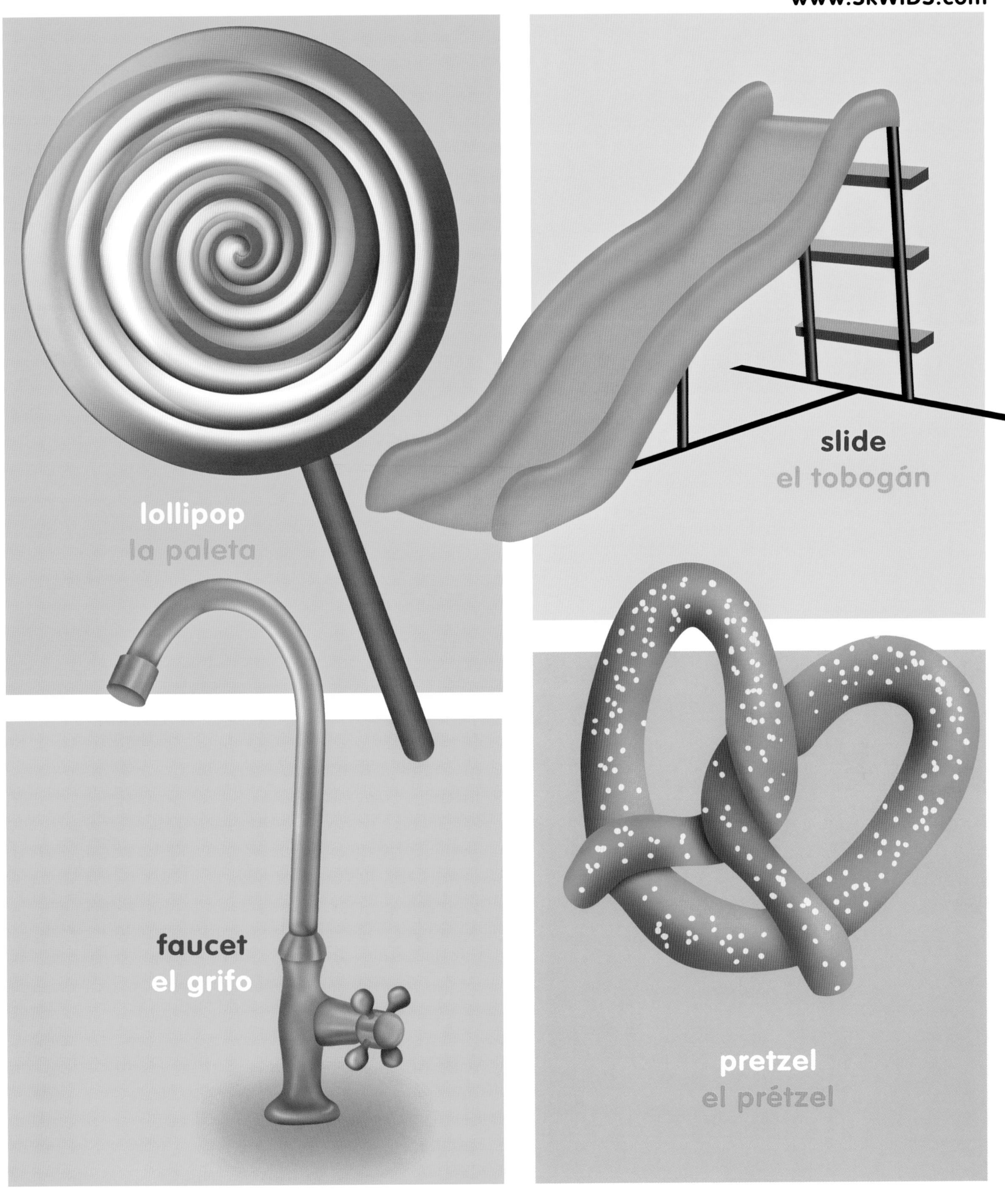

lollipop	faucet	slide	pretzel
la paleta	el grifo	el tobogán	el prétzel

Let's play ball!
¡Juguemos a la pelota!

A softball game is filled with shapes. How many shapes do you see in the big picture?

En un partido de softball hay muchas formas. ¿Cuántas formas puedes ver en el dibujo grande?

INNING
HOME
GUEST
BALLS
STRIKES
OUTS
scoreboard
el marcador
drink cup
la taza de bebida
ice cream cone
el cono de helado

Spot the patterns.
Descubre las secuencias.

Which shape comes next in each pattern on these pages?

¿Qué forma sigue en cada secuencia en estas páginas?

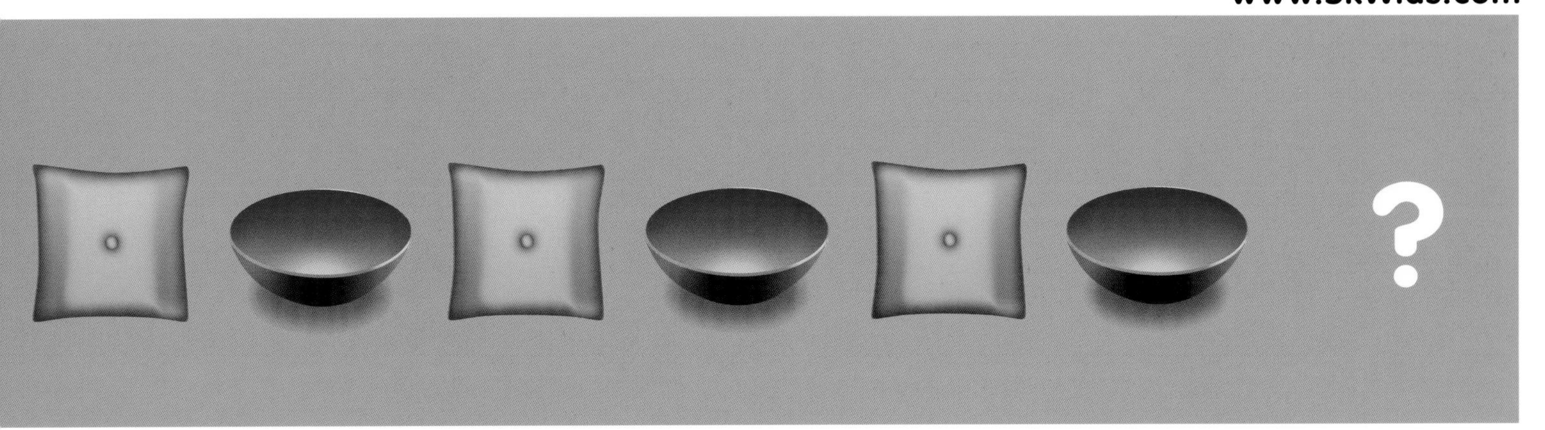

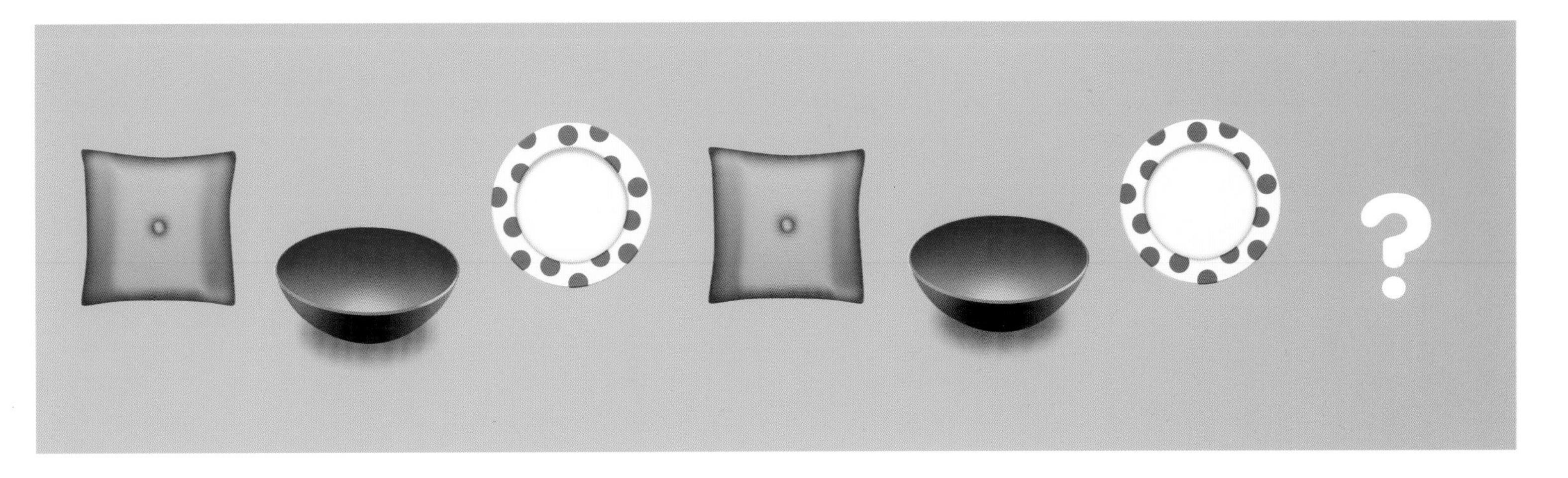

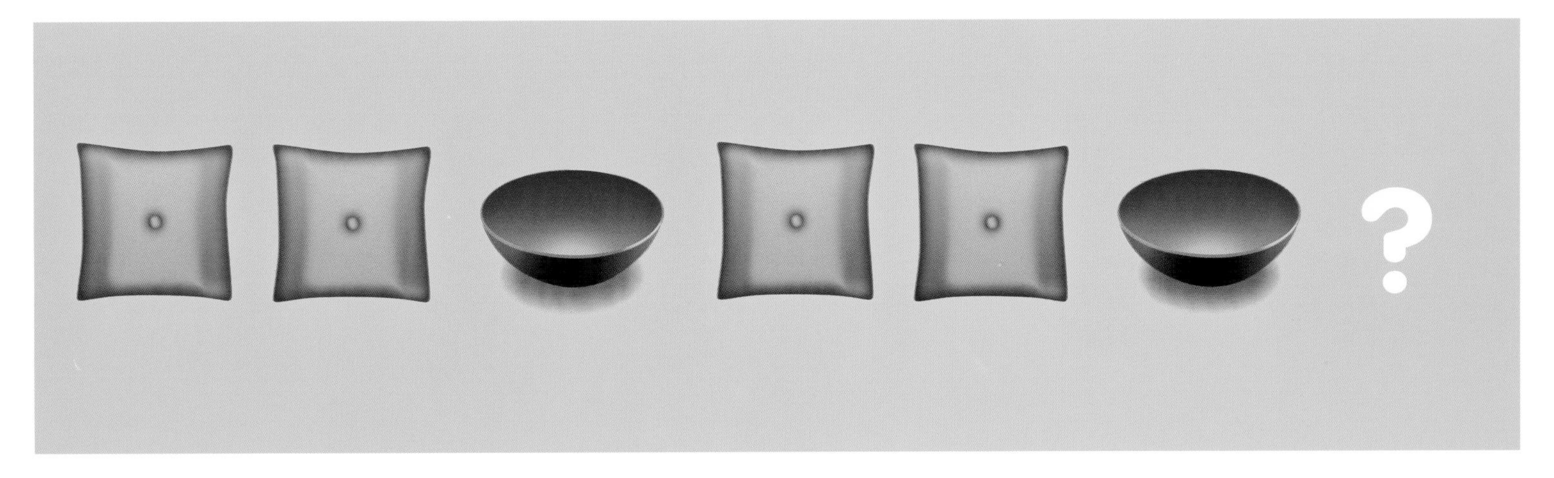

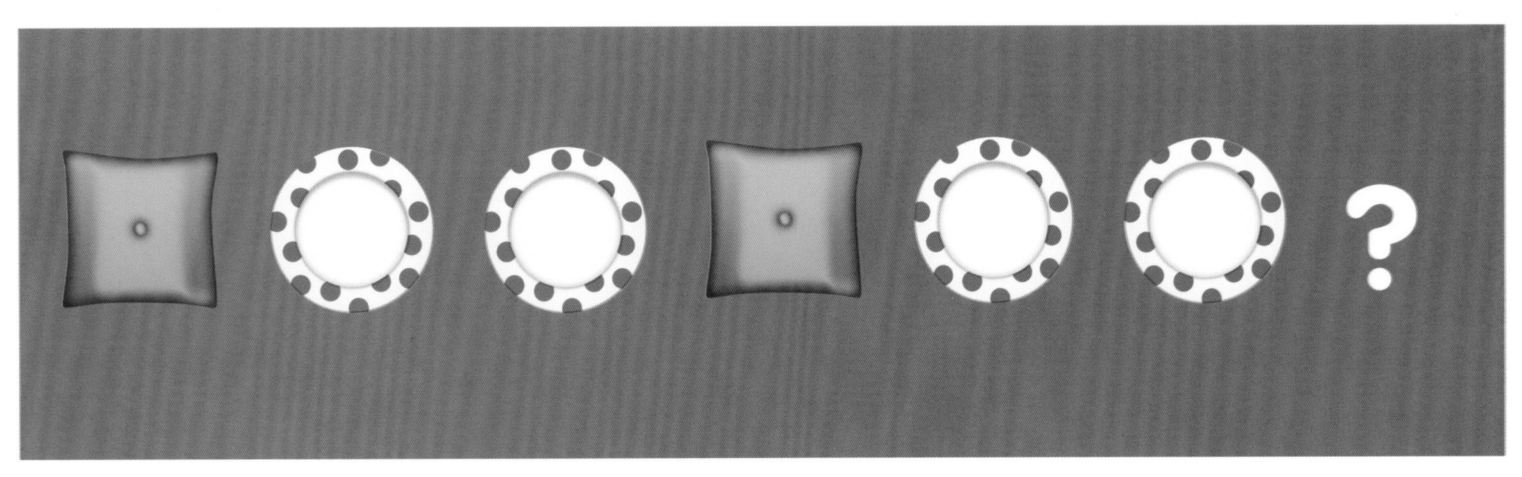

Symmetry
Simetría

Some shapes have matching parts. They are exactly the same shape and size on both sides.

Algunas formas tienen partes que coinciden. Tienen exactamente la misma forma y el mismo tamaño en ambos lados.

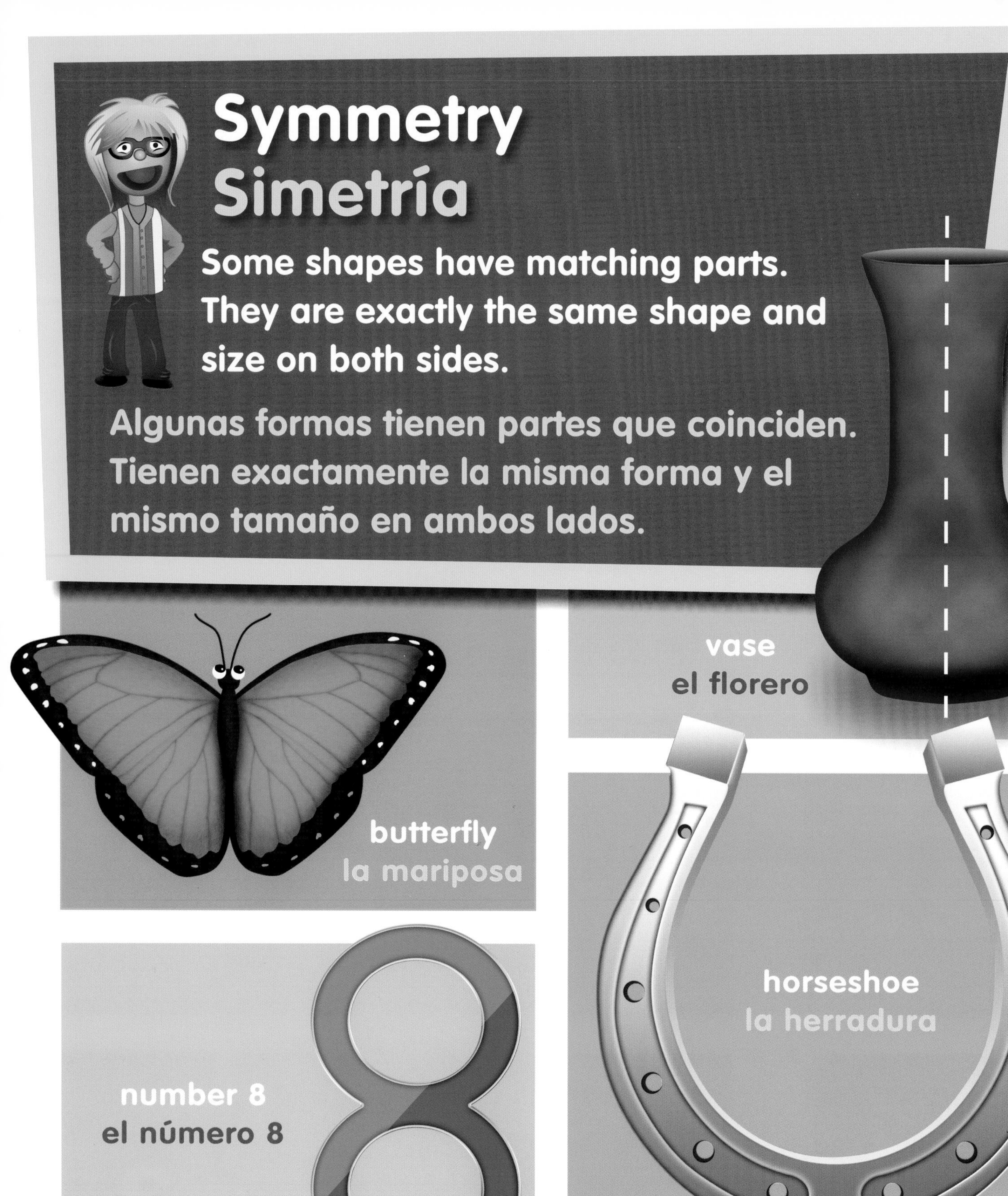

butterfly	number 8	vase	horseshoe
la mariposa	el número 8	el florero	la herradura

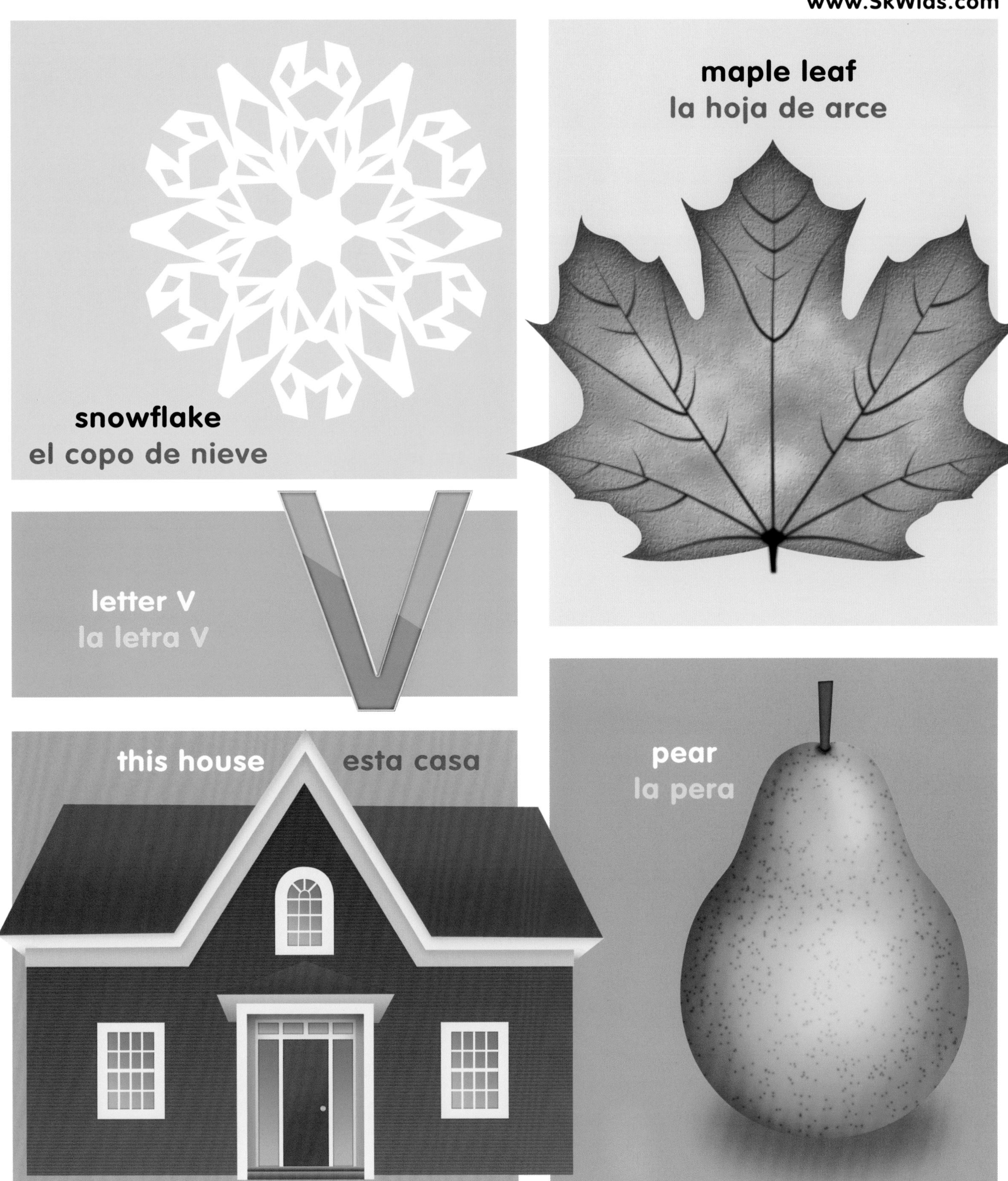

snowflake
el copo de nieve

letter V
la letra V

this house
esta casa

maple leaf
la hoja de arce

pear
la pera

Find the shapes.
Encuentra las formas.

Find the shapes in each panel.

Encuentra las formas en cada panel.

Find the circle, triangle, and square.

Encuentra el círculo, el triángulo y el cuadrado.

Find the trapezoid, rectangle, and pentagon.

Encuentra el trapecio, el rectángulo y el pentágono.

Find the circle, semicircle, and sphere.
Encuentra el círculo, el semicírculo y la esfera.

Find the pentagon, hexagon, heptagon, and rectangle.
Encuentra el pentágono, el hexágono, el heptágono y el rectángulo.

Big, bigger, biggest
Grande, más grande, el más grande

Which object in each panel is the biggest?

¿Qué objeto de cada panel es el más grande?

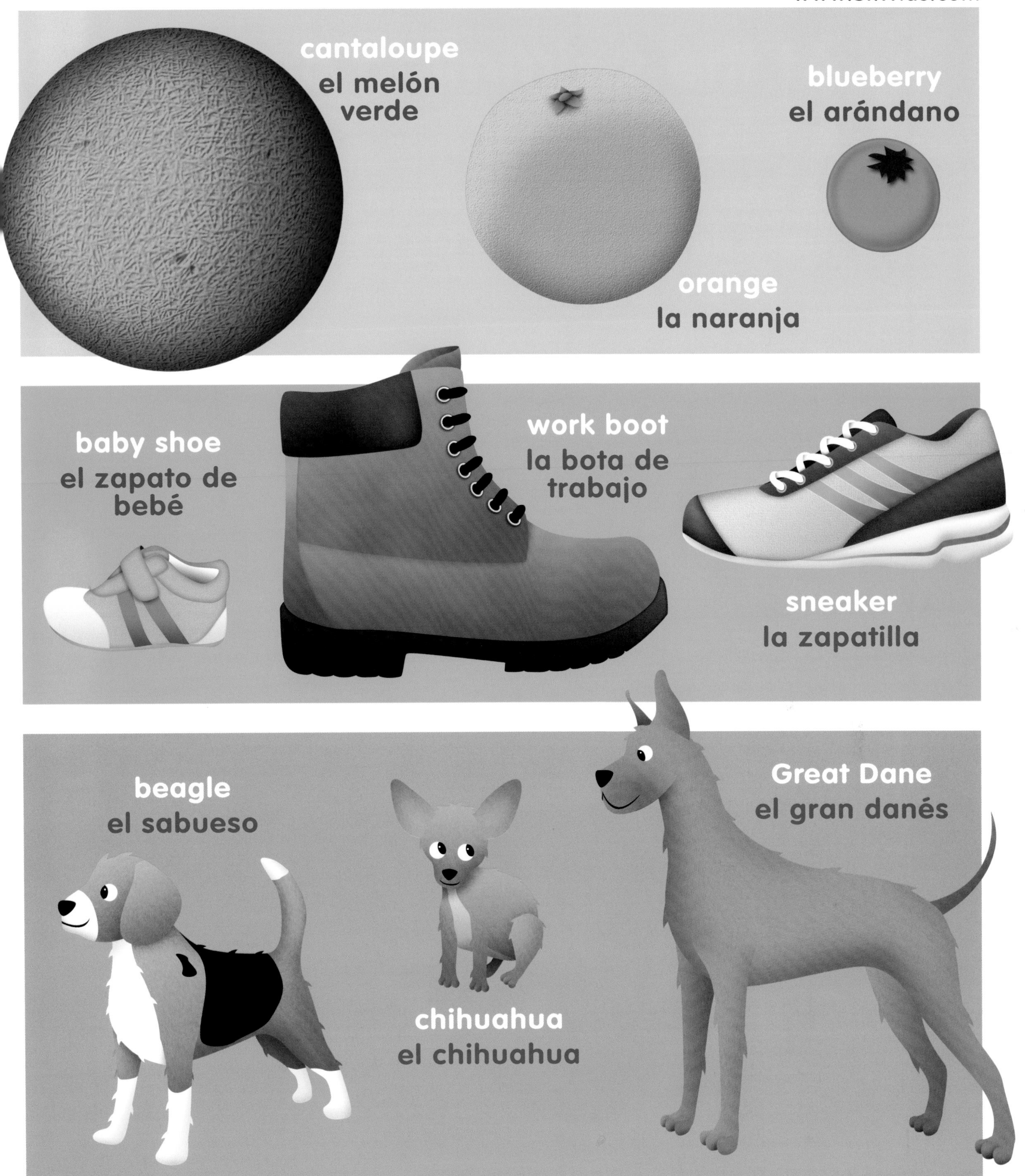
cantaloupe
el melón verde
blueberry
el arándano
orange
la naranja
baby shoe
el zapato de bebé
work boot
la bota de trabajo
sneaker
la zapatilla
beagle
el sabueso
chihuahua
el chihuahua
Great Dane
el gran danés

At the swimming pool
En la piscina

There are many shapes at a swimming pool. What shapes do you see in the big picture?

Hay muchas formas en una piscina. ¿Qué formas puedes ver en el dibujo grande?

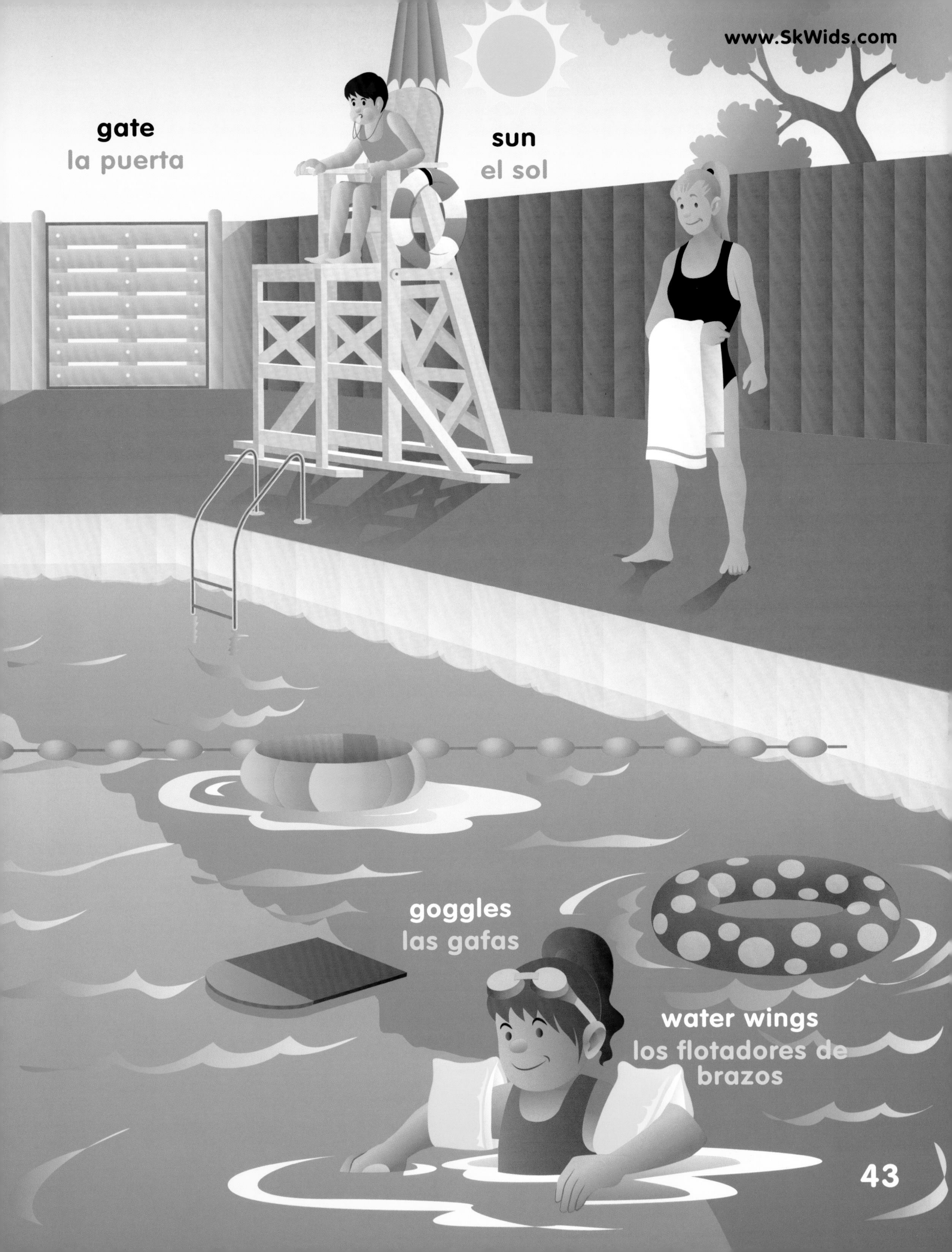
gate
la puerta
sun
el sol
goggles
las gafas
water wings
los flotadores de brazos

Games Juegos

The grid on page 45 shows many different shapes and objects. Look carefully at the grid and follow the instructions below.

La cuadrícula de la página 45 muestra muchas formas y objetos diferentes. Mira con atención la cuadrícula y sigue las instrucciones que aparecen a continuación.

1. Count the circles.
2. Count the squares.
3. Count the rectangles.
4. Count the diamonds.
5. Find the triangles that are the same shape and color.
6. Name the objects that are rectangles.
7. Name the object that is a square.
8. Name the objects that are triangles.
9. Count the sunflowers.
10. Count the red sailboats. Count the blue sailboats.
11. Count the ovals.
12. Count the starfish.
13. Count all of the objects that are red.
14. Name all of the objects you would find in nature.
15. Name all of the different shapes that you see!

1. Cuenta los círculos.
2. Cuenta los cuadrados.
3. Cuenta los rectángulos.
4. Cuenta los rombos.
5. Encuentra triángulos de la misma forma y color.
6. Nombra los objetos que sean rectángulos.
7. Nombra el objeto que sea cuadrado.
8. Nombra los objetos que sean triángulos.
9. Cuenta los girasoles.
10. Cuenta los veleros rojos. Cuenta los veleros azules.
11. Cuenta los óvalos.
12. Cuenta las estrellas de mar.
13. Cuenta todos los objetos rojos.
14. Nombra todos los objetos que encontrarías en la naturaleza.
15. ¡Nombra todas las formas diferentes que ves!

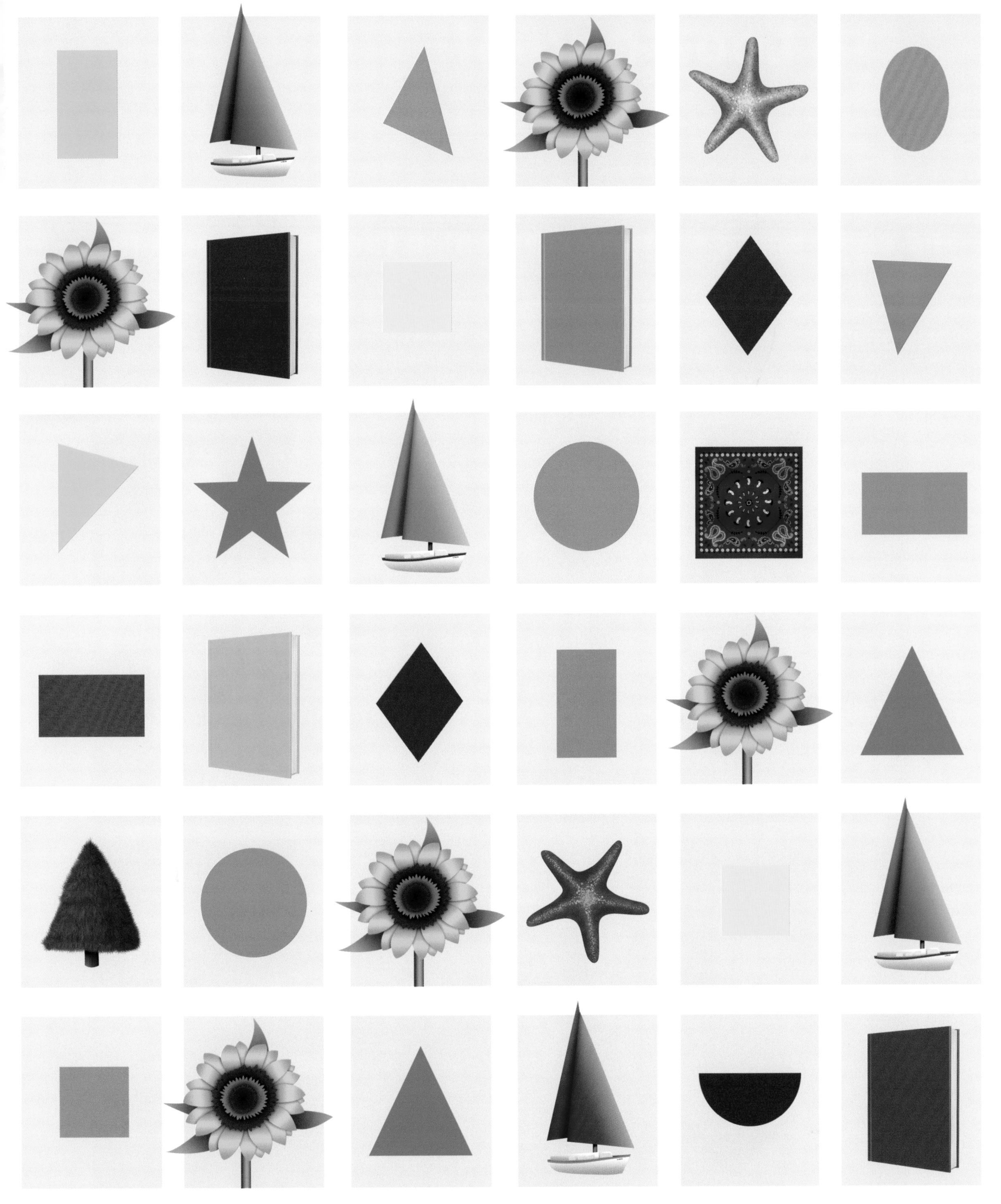

Look again!
¡Mira de nuevo!

These two pictures are not exactly the same. Can you find the eight things that are different in the second picture?

Estos dos dibujos no son exactamente iguales. ¿Puedes encontrar las ocho diferencias en el segundo dibujo?